Made in the USA
Middletown, DE
22 June 2022

67519651R00057